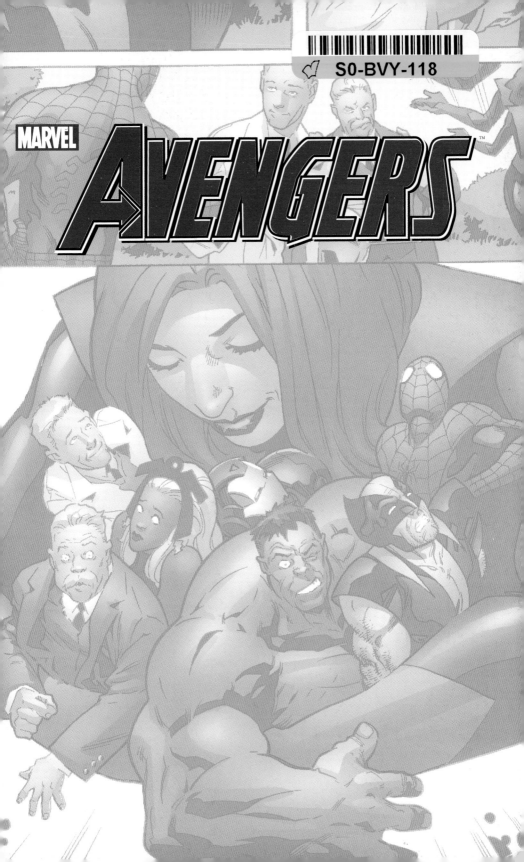

MARVEL

© 2014 MARVEL

Publié par Presses Aventure, une division de
Les Publications Modus Vivendi inc.
55, rue Jean-Talon Ouest, 2ᵉ étage
Montréal (Québec) H2R 2W8
CANADA
www.groupemodus.com

Les histoires *L'attaque de la fille de 50 pieds!*, *Les sept Vengeurs* et *Les porteurs de foudre*
ont été publiées pour la première fois en anglais en 2007 par MARVEL PUBLISHING, INC. sous les titres
originaux *Attack of the 50 Foot Girl!*, *The Avenging Seven* et *Bringers of the Storm*.

Traduction de l'anglais par Frédéric Antoine

Éditeur : Marc Alain
Responsable de collection : Marie-Eve Labelle

Dépôt légal — Bibliothèque et Archives nationales du Québec, 2014
Dépôt légal — Bibliothèque et Archives Canada, 2014

ISBN 978-2-89660-784-6

Nous reconnaissons l'aide financière du gouvernement du Canada par l'entremise du Fonds
du livre du Canada pour nos activités d'édition.

Gouvernement du Québec — Programme de crédit d'impôt pour l'édition de livres — Gestion SODEC

Imprimé en Chine

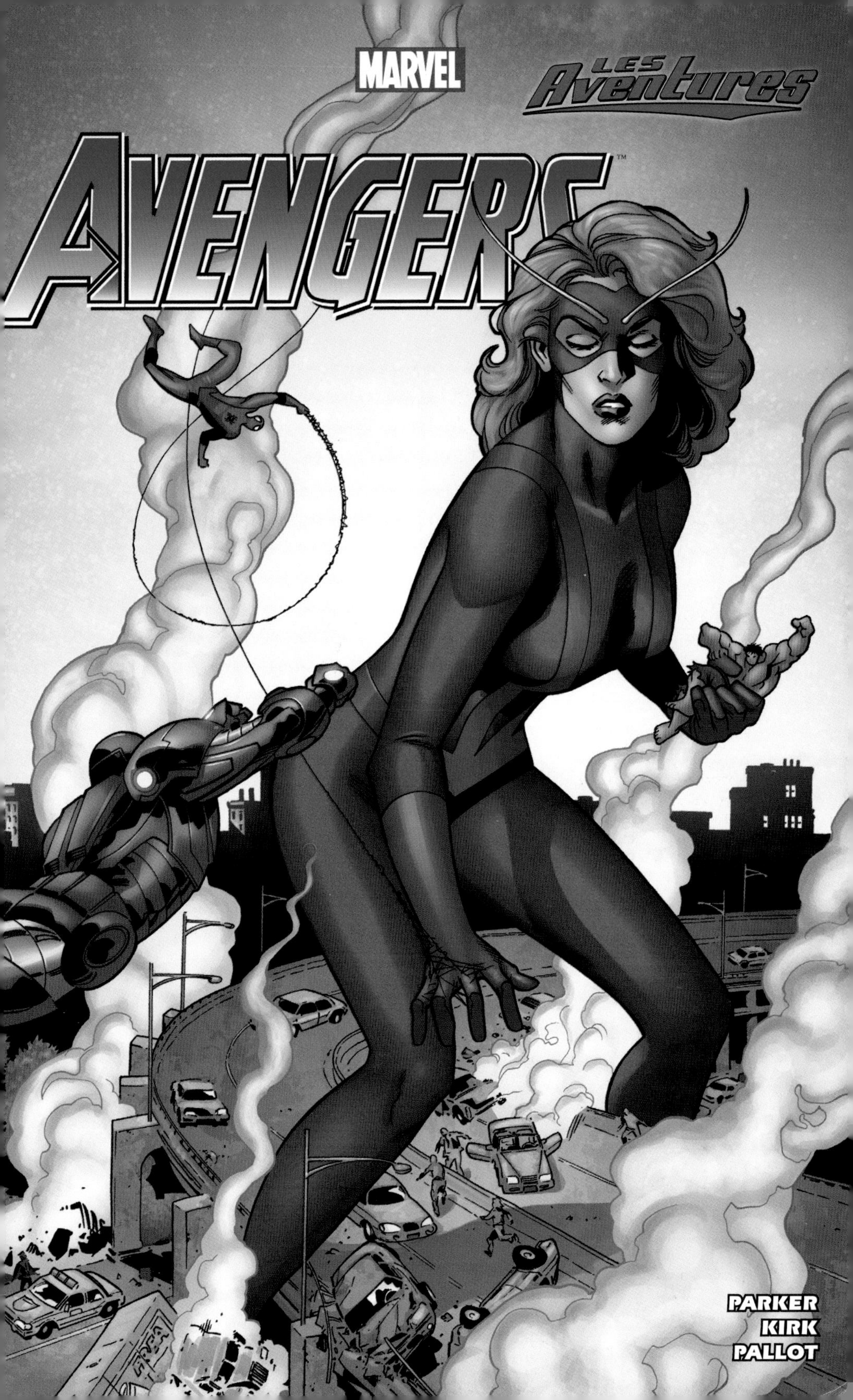
MARVEL
LES Aventures
AVENGERS
PARKER
KIRK
PALLOT

SUPER-SOLDAT DE LA IIᵉ GUERRE
MONDIALE. MAÎTRESSE DES ÉLÉMENTS.
ALTER EGO TITANESQUE DE BRUCE
BANNER. HOMME ARAIGNÉE.
JUSTICIÈRE GÉANTE. SAVANT GÉNIAL
EN ARMURE. MUTANT FÉROCE AUX
GRIFFES ACÉRÉES. ENSEMBLE, ILS
SONT LES PLUS PUISSANTS HÉROS DU
MONDE, QUI S'ATTAQUENT AUX
MENACES QU'UN SEUL SUPERHÉROS
NE SAURAIT VAINCRE!

LES *VENGEURS*

JEFF PARKER SCÉNARIO	**LEONARD KIRK** DESSINS	**DAN BUCKLEY** PRÉSIDENT	**JOE QUESADA, MARK PANICCIA** ET **NATHAN COSBY** ÉDITION É.-U.	**KATE LEVIN** PRODUCTION
FRÉDÉRIC ANTOINE TRADUCTION	**TERRY PALLOT** ENCRAGE	**VAL STAPLES** COULEURS		Captain America a été créé par Joe Simon et Jack Kirby

TORNADE

IRON MAN

GIANT-GIRL

SPIDER-MAN

HULK

WOLVERINE

PLUSIEURS KILOMÈTRES PLUS LOIN...

OH, MES PETITES MARIONNETTES... HÉ HÉ. DEMAIN, VOUS ALLEZ ÊTRE ACTIVÉES.

LE VAUDOU ATOMIQUE ME DONNERA UN CONTRÔLE ABSOLU SUR LES **QUATRE FANTASTIQUES**, MOI, LE PLUS GRAND MANIPULATEUR...

... LE MAÎTRE DES MALÉFICES!

HA HA! JE LES DÉTRUIRAI TOUS ET JE PRENDRAI DES VACANCES MÉRITÉES!

KKAARRUNNCH

RENDS-TOI, MAÎTRE DES MALÉFICES!

FINI DE TIRER LES FICELLES!

QUOI?!

« COMME VOUS VOUS EN DOUTEZ, GIANT-GIRL N'EST PAS RESTÉE AU QG »

ELLE A L'AIR EN FURIE!

NOUS DEVONS L'ATTIRER **HORS** DE LA VILLE.

NE T'INQUIÈTE PAS, TORNADE. ON S'EN OCCUPE.

MANŒUVRE 4-A!

MAIS, BON... LA MANŒUVRE 4-A N'A PAS ÉTÉ CONCLUANTE.

SURTOUT SI TU PIQUES UNE JASETTE AVEC LES JOURNALISTES...

JE SYMPATHISE AVEC LE MÉTIER, VOILÀ TOUT!

IL RESTE UNE MANŒUVRE À ESSAYER.

YYEEEOOWWWCH!

OH OH.

AU MOINS, ÇA NOUS A LIBÉRÉS!

OÙ GIANT-GIRL ALLER AVEC WOLVERINE?

JE PENSE QU'ELLE VA AUSSI HAUT QU'ELLE PEUT POUR...

... LE LANCER.

JANET! RÉVEILLE-TOI, MA GRANDE!

JE VAIS TENTER D'ATTRAPER, WOLVERINE!

RRRAARRH!

JE VAIS AVOIR DROIT À UN TOUR AÉRIEN DE NEW YORK...

LOGAN, JE VAIS ÊTRE EN POSITION POUR...

T'ATTRAPER...

RRRIIIPPP

HÉLICO 2! PRENEZ UN GROS PLAN DU VISAGE!

STOOOOOOOORRRRRmm

DERNIÈRE NOUVELLE! APRÈS AVOIR ESCALADÉ L'EMPIRE STATE BUILDING ET MENÉ BATAILLE CONTRE SES ÉQUIPIERS VENGEURS...

GIANT-GIRL SE RÉVÈLE ÊTRE LA RICHE MONDAINE JANET VAN DYNE!

C'EST DE PIRE EN PIRE!

KRONCH

OÙ ELLE VA MAINTENANT?

AUCUNE IDÉE.

HULK GRONDERA PAS GIANT-GIRL POUR ÇA!

EH, REGARDEZ QUI FLOTTAIT DANS LE FLEUVE.

LA FERME!

BIEN. VOUS DEUX ET HULK, SUIVEZ-LA. ÉVITEZ QU'ELLE NE CAUSE TROP DE DÉGÂTS.

SPIDER-MAN ET MOI ALLONS PARLER À CELUI QUI LA CONNAÎT LE MIEUX. J'AI PASSÉ UN APPEL À VERNON VAN DYNE...

SON PÈRE.

OOOOH, IL VA LA PRIVER DE DESSERT!

CIRCULEZ! NOUS FERONS UN COMMUNIQUÉ DE PRESSE.

VENGEURS, BIENVENUE CHEZ VAN DYNE! JE SUIS UN GRAND FAN, COMME VOUS VOUS EN DOUTEZ!

VOUS NE SEMBLEZ PAS ALARMÉ PAR LES NOUVELLES CONCERNANT VOTRE FILLE.

POURQUOI LE SERAIS-JE? CES NOUVELLES ATTIRENT UN PAQUET DE NOUVEAUX INVESTISSEURS POUR VAN DYNE!

ON PARLE PLUTÔT DES ENNEMIS QUI CONNAISSENT MAINTENANT SON IDENTITÉ.

EH! STARK A PERDU DEUX POINTS.

BAH! C'EST UNE VAN DYNE! SI QUELQU'UN MENACE JANET, ELLE IRA LE SECOUER.

ET J'AIMERAIS VOIR QUELQU'UN SE MESURER AUX DÉFENSES DE NOS USINES...

TOUTES CONÇUES PAR NOTRE GRAND SAVANT, HENRY PYM.

HENRY? ON A BESOIN D'AIDE.

PYM? C'EST UN NOM DE BISCUIT.

ET VOUS DITES QUE CETTE CHOSE ÉTAIT UNE SORTE D'INSECTE?

OUI, UNE ÉVOLUTION HUMANOÏDE D'UN INSECTE.

JE LUI AVAIS DIT QU'ELLE DEVAIT CHANGER SON COSTUME.

PYM.

POURRIEZ-VOUS NOUS EXPLIQUER EN ROUTE? JANET SÈME LE CHAOS EN PLEINE CAMPAGNE, À L'HEURE OÙ ON SE PARLE.

SÛR. JUSTE PRENDRE ÇA AVEC MOI...

JOLIE HISTOIRE, DR PYM, MAIS OÙ EST LA LOGIQUE DANS CETTE CONNEXION AVEC LES INSECTES?

J'AI TOUJOURS PENSÉ QUE COMMUNIQUER AVEC LES INSECTES SERAIT UN ATOUT DANS LA LUTTE CONTRE LE CRIME...

HENRY, VENEZ-EN AU FAIT!

J'AI DONC INSTALLÉ UN CONVERTISSEUR CÉRÉBRAL DE SIGNAUX IDENTIQUES À CEUX DES FOURMIS... BIEN QUE JANET NE L'AIT JAMAIS UTILISÉ.

JE N'AVAIS JAMAIS ANTICIPÉ UN INSECTE HAUTEMENT ÉVOLUÉ. LES ORDRES DE PSYKLOP À SA COLONIE ONT DÛ AFFECTER JANET.

COMMENT POUVONS-NOUS AIDER MA FILLE, HENRY?

IL SUFFIT DE BRISER SES ANTENNES.

TU AS ENTENDU, IRON MAN?

AFFIRMATIF! ON S'EN CHARGE.

DÈS QU'ON EN AURA FINI AVEC PSYKLOP ET SON ARMÉE, CETTE VILLE EST EN PLEIN SUR LE RÉSEAU DE CAVERNES DES INSECTOÏDES!

OUI... L'HEURE DE VOTRE DÉFAITE EST VENUE. NOUS SOMMES TROIS FOIS PLUS NOMBREUX QUE VOUS.

PRENDS LES COMMANDES, SPIDEY!

JE TE TIENS.

TORNADE! OH, C'ÉTAIT SI BIZARRE!

PAPA? HENRY?

ALLONS AIDER LES AUTRES.

SOYEZ PRUDENTS! VOUS NE POUVEZ IMAGINER COMME ILS SONT NOMBREUX, LÀ-DESSOUS... J'AI PU SENTIR LEUR PRÉSENCE LORSQUE PSYKLOP NOUS A CONNECTÉS.

J'AI PEUT-ÊTRE LA SOLUTION AU PROBLÈME.

FIN

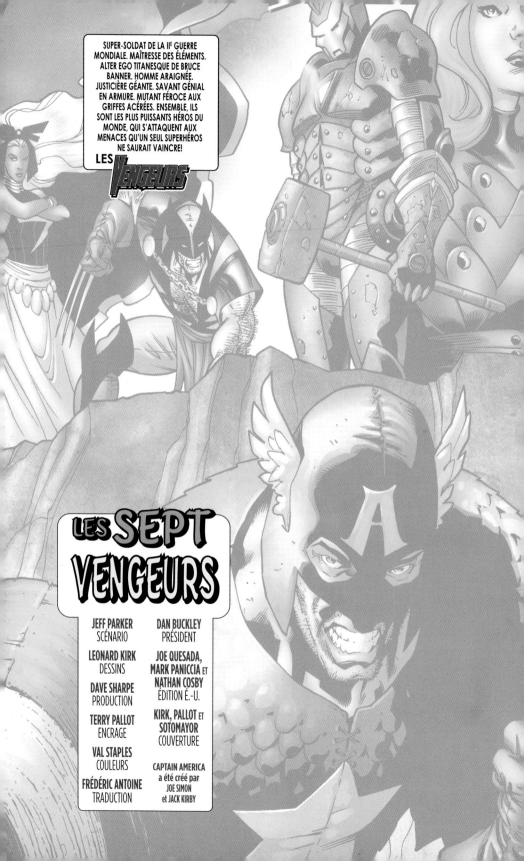

SUPER-SOLDAT DE LA IIᵉ GUERRE
MONDIALE. MAÎTRESSE DES ÉLÉMENTS.
ALTER EGO TITANESQUE DE BRUCE
BANNER. HOMME ARAIGNÉE.
JUSTICIÈRE GÉANTE. SAVANT GÉNIAL
EN ARMURE. MUTANT FÉROCE AUX
GRIFFES ACÉRÉES. ENSEMBLE, ILS
SONT LES PLUS PUISSANTS HÉROS DU
MONDE, QUI S'ATTAQUENT AUX
MENACES QU'UN SEUL SUPERHÉROS
NE SAURAIT VAINCRE!

LES VENGEURS

LES SEPT VENGEURS

JEFF PARKER
SCÉNARIO

LEONARD KIRK
DESSINS

DAVE SHARPE
PRODUCTION

TERRY PALLOT
ENCRAGE

VAL STAPLES
COULEURS

FRÉDÉRIC ANTOINE
TRADUCTION

DAN BUCKLEY
PRÉSIDENT

JOE QUESADA,
MARK PANICCIA ET
NATHAN COSBY
ÉDITION É.-U.

KIRK, PALLOT ET
SOTOMAYOR
COUVERTURE

CAPTAIN AMERICA
a été créé par
JOE SIMON
et JACK KIRBY

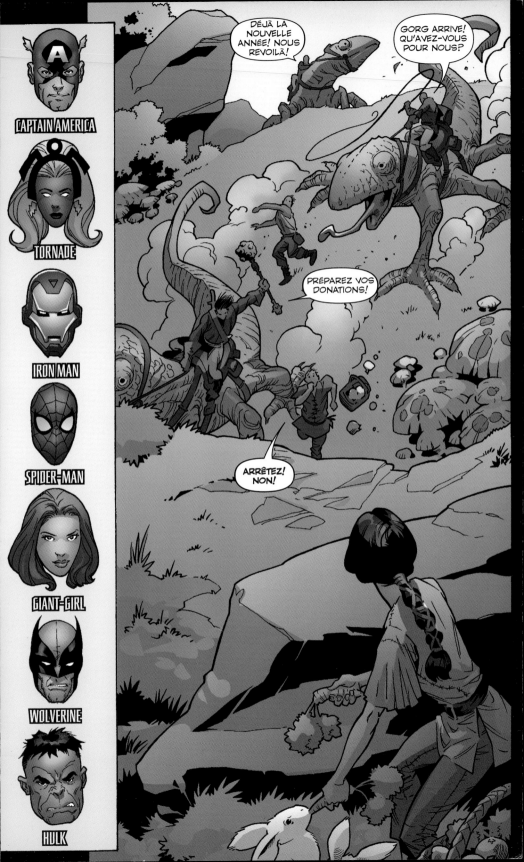

NE BRUSQUEZ PAS LA DEMOISELLE!

HÉ!

RESTEZ **EN DEHORS** DE ÇA!

JE ME PERMETS AU CONTRAIRE D'INTERFÉRER. JE PENSE ÊTRE PLUS QUALIFIÉ POUR DISCERNER UNE ACTIVITÉ PARANORMALE QUE VOUS NE L'ÊTES.

VOUS DITES ÊTRE ICI POUR TROUVER LES VENGEURS, MADEMOISELLE?

OUI! L'ORBE-AIGLE NOUS A MONTRÉ LES HÉROS CAPABLES DE NOUS AIDER!

TRÈS BIEN.

DES RENFORTS, SECTION CIVILISATIONS ANCIENNES.

OUI, JARVIS?

UNE AFFAIRE REQUIERT VOTRE ATTENTION AU MUSÉE D'HISTOIRE NATURELLE.

ON ARRIVE.

VOUS LES... CONNAISSEZ?

MIEUX QUE QUICONQUE. JE SUIS LEUR MAJORDOME.

C'EST QUOI, UN MAJORDOME?

C'EST ELLE!

ILS VONT NOUS CAPTURER!

IMPOSSIBLE, MON APPEL A ÉTÉ PASSÉ IL Y A UNE MINUTE.

JETEZ UN ŒIL AUTOUR DE VOUS!

QU'ARRIVERA-T-IL SI ON REPOUSSE CES MARAUDEURS? ILS REVIENDRONT UNE FOIS QU'ON SERA PARTIS ET RECOMMENCERONT ENCORE À TERRORISER CES GENS.

WOLVERINE A RAISON SUR CE POINT.

TON ARMURE A ENREGISTRÉ ÇA?

OUI. JE TE L'ENVOIE PAR COURRIEL.

ALORS ON NE DOIT PAS LES AIDER?

NOUS LE FERONS, MAIS EN LEUR MONTRANT AUSSI COMMENT SE DÉFENDRE PAR EUX-MÊMES. SINON, RIEN NE CHANGERA.

DONNE UN POISSON À UN GARS, IL LE MANGERA. SAUF S'IL N'AIME PAS LE POISSON.

APPRENDS-LUI À PÊCHER...

... ET IL IRA PÊCHER AVEC SES COPAINS. EUH NON, C'EST PAS ÇA...

JE PEUX MONTRER QUELQUES EXERCICES MILITAIRES. AUSSI, JE N'AI NOTÉ QUE DEUX AIRES OUVERTES SUR LA VALLÉE, ET ON POURRAIT LES FORTIFIER.

JE POURRAIS CONCEVOIR UNE SOLIDE FORTIFICATION.

OUI, LA PLUPART DES HOMMES SONT FORTS...

... ALORS BATTEZ-VOUS AVEC RUSE.

OUUUUF.

SUIS-JE LE SEUL À SERVIR DE PANTIN D'EXERCICE, ICI?

TA MÈRE S'EN SORT-ELLE AVEC NOS NOUVEAUX COSTUMES, KIKA?

ELLE A PRESQUE FINI! VOUS AUREZ L'AIR DE VILLAGEOIS, BIEN QUE JE NE COMPRENNE PAS POURQUOI.

LES MARAUDEURS DOIVENT VOIR TON PEUPLE GARDER LA TÊTE HAUTE.

ET IL N'Y A RIEN DE MAL À ÊTRE FERMIER, KIKA. DE TEMPS À AUTRE, NOUS SOMMES UTILES, MAIS LES GENS QUI POURVOIENT AUX AUTRES SONT DES HÉROS EN TOUT TEMPS.

COMMENT VA LE MUR?

NOUS ALLIONS PLUS VITE AVANT QUE HULK PRENNE UNE PAUSE ET SE CHANGE EN BRUCE BANNER.

ÇA DEVRAIT ÊTRE FINI DEMAIN.

BIEN. JUSTE À TEMPS POUR L'ARRIVÉE DES MARAUDEURS.

VOUS POUVEZ IRRIGUER PLUS FACILEMENT DE CETTE FAÇON, ET UTILISER LES GRAMINÉES POUR FILTRER LE SEL DES EAUX SAUMÂTRES QUAND LA RIVIÈRE DÉBORDE.

ON PEUT FAIRE LES DEUX, NON?

LA HORDE EST PROCHE!

BANNER, VOUS N'ÊTES PAS ICI POUR EN FAIRE DES MEILLEURS FERMIERS, MAIS POUR LEUR APPRENDRE À SE BATTRE!

ILS VIENNENT PAR LE NORD!

VENGEURS, VOICI VOS NOUVEAUX HABITS POUR LA FÊTE-SURPRISE!

JE SUIS PRÊTE! MERCI D'AVOIR TRANSFÉRÉ L'ÉQUIPEMENT D'AGRANDISSEMENT DE MON UNIFORME, TONY.

SI TU GRANDIS ET PAS TES VÊTEMENTS, ÇA RISQUE D'ÊTRE TRÈS GÊNANT.

CAPTAIN! FORMATION EN VOL?

LA SITUATION IMPOSE MON RETRAIT.

EUH... QUOI?

NOUS SOMMES TOUS CONSCIENTS QUE GORG NE RECULERA JAMAIS. CES MARAUDEURS NE RESPECTENT QUE LA FORCE BRUTE ET LA VICTOIRE TOTALE.

LES BATTRE AVEC STRATÉGIE ET ÉQUITÉ NE LES EMPÊCHERA PAS DE REVENIR. ON DOIT LUTTER DE LA SEULE MANIÈRE QU'ILS COMPRENNENT.

C'EST POURQUOI, POUR LA SUITE DE CETTE MISSION, JE DÉSIGNE WOLVERINE COMME CHEF.

LOGAN, C'EST À TOI DE JOUER.

C'EST... LE PLUS BEAU JOUR DE MA VIE!

ON FONCE!

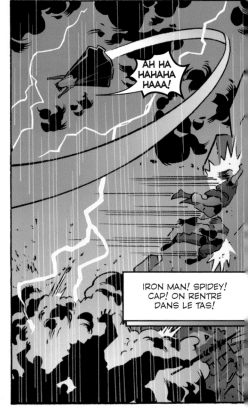

SUPER-SOLDAT DE LA IIᵉ GUERRE MONDIALE. MAÎTRESSE DES ÉLÉMENTS. ALTER EGO TITANESQUE DE BRUCE BANNER. HOMME ARAIGNÉE. JUSTICIÈRE GÉANTE. SAVANT GÉNIAL EN ARMURE. MUTANT FÉROCE AUX GRIFFES ACÉRÉES. ENSEMBLE, ILS SONT LES PLUS PUISSANTS HÉROS DU MONDE, QUI S'ATTAQUENT AUX MENACES QU'UN SEUL SUPERHÉROS NE SAURAIT VAINCRE!

LES **VENGEURS**

LES PORTEURS DE FOUDRE

JEFF PARKER
SCÉNARIO

CAFU
DESSINS

DAN BUCKLEY
PRÉSIDENT

BRAD JOHANSEN
PRODUCTION

JOE QUESADA, MARK PANICCIA ET **NATHAN COSBY**
ÉDITION É.-U.

FRÉDÉRIC ANTOINE
TRADUCTION

TERRY PALLOT
ENCRAGE

VAL STAPLES
COULEURS

Captain America a été créé par Joe Simon et Jack Kirby

LES Aventures IRON MAN

CŒUR D'ACIER

RENTRÉE DESTRUCTRICE

AURORES BORÉALES

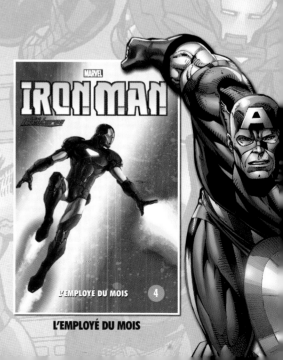

L'EMPLOYÉ DU MOIS

SPIDER-MAN

ROI DU JEU

HEURE DE POINTE

VAISSEAU AVEC VUE

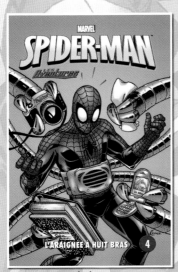

L'ARAIGNÉE À HUIT BRAS

GARE AU LOUP-GAROU

HULK

HÉROS COSTAUD

SOUS LA LOI D'ATLANTIS

LE PLUS FORT DE TOUS

SUPERHÉROS

SUPER SHOW

LA LÉGENDE RENAÎT

LA GLACE ET LE FEU

AVENGERS

LES HÉROS S'UNISSENT

LE DERNIER RIRE DE LOKI

PIÈGE MÉDIÉVAL

LES SEPT VENGEURS

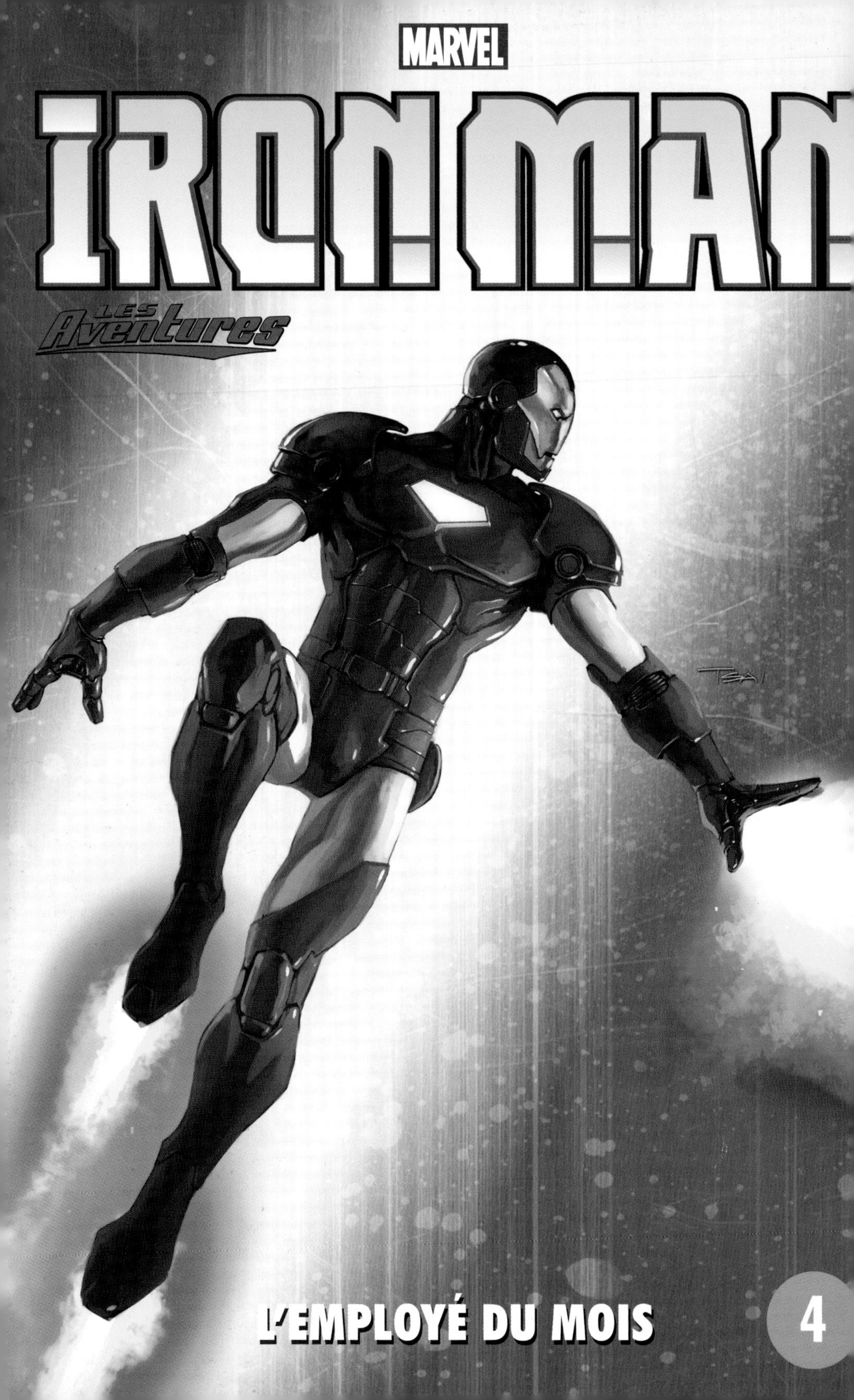
MARVEL
IRON MAN
LES Aventures
L'EMPLOYÉ DU MOIS
4

HUIT HEURES PLUS TÔT
VILLE DE SEYJANG,
CORÉE DU SUD

J'ESSAIE DE COMPRENDRE AVEC MON GUIDE, RICK.

CETTE FEMME M'A DIT D'ALLER DANS LE TROISIÈME BÂTIMENT SUR LA GAUCHE... OU QUE MOMO A BESOIN D'UN BAIN.

CE DOIT ÊTRE LUI, MAIS JE NE SUIS PAS CONVAINCU QUE CE MYSTICO-COLOSSE PEUT...

VOUS ÊTES SÛR QUE C'EST ICI, DOC?

JE VOUS L'AI DIT, DOC. CETTE AMULETTE DE CYTTORAK PEUT SUPPOSÉMENT «STOPPER L'INVULNÉRABLE».

SI C'EST VRAI...

RRRR... DÉTESTE PETIT BANNER!

... ÇA POURRAIT PEUT-ÊTRE RETENIR LE MONSTRE EN MOI...

FAUT ESSAYER, SI ÇA PEUT NOUS ÉVITER DE TOUJOURS FUIR.

BANNER GARDER HULK ENFERMÉ!

EXCUSEZ-MOI. ÊTES-VOUS CAIN MARKO?

J'VOUS DOIS DU FRIC?

EUH... MON NOM EST BRUCE BANNER.

LES GENS D'ICI DISENT QUE VOUS ÊTES UN GUIDE PARLANT ANGLAIS. ET QUE VOUS ÉTIEZ UN SOLDAT.

J'AI BESOIN DE QUELQU'UN POUR NOUS GUIDER VERS UN... UN SITE ARCHÉOLOGIQUE.

BANNER ÊTRE PRISON.

FAIS DE L'AIR, L'AMI.

HUM... JE VAIS ESSAYER UNE AUTRE APPROCHE.

JE **PAYE** SI VOUS M'AIDEZ À TROUVER CE TEMPLE.

LÀ, C'EST MIEUX.

FASCINANT, COMME SI CE VILLAGE ÉTAIT RESTÉ COUPÉ DU MONDE EXTÉRIEUR...

PAS DE STAR ACADÉMIE? C'EST LE MOYEN-ÂGE!

EXCUSEZ-MOI...

<EH, ON TE PARLE, VIEILLARD! OÙ EST LE TEMPLE DE CYTTORAK?>*

<JE... JE SENS LE POUVOIR DE CYTTORAK EN TOI! TU NE DOIS...>

*TRADUIT DU CORÉEN.

<DIS-MOI OÙ IL EST, SINON...>

CAIN, NON! INUTILE D'ÊTRE VIOLENT...

NON, PAS MAINTENANT...

BANNER PAS GARDER HULK POUR TOUJOURS!

IIIIP!

ON SE CALME, DOC! C'EST MAUVAIS POUR VOUS DE VOUS ÉNERVER...

ERRAR! VEUX FRAPPER!

ON RESPIRE, DOC... PENSEZ À QUELQUES THÉORÈMES PHYSIQUES RELAXANTS.

M... MERCI, RICK.

<DIS-MOI OÙ TROUVER L'AMULETTE!>

SMAAKK

<P... PRÈS DU PIC... DANS UNE GROTTE SITUÉE À L'EST D'UN AFFLEUREMENT ROCHEUX... FAIT PAR L'HOMME.>

JE SUIS DÉSOLÉ. IL...

LAISSEZ-LE, BANNER. QUAND CAIN MARKO VEUT QUELQUE CHOSE, IL L'OBTIENT TOUJOURS!

CE GARS ME FAIT PENSER À UNE VERSION ADULTE DU GAMIN QUI S'AMUSAIT À ME PIQUER MA CASQUETTE À L'ÉCOLE.

OU PLUTÔT, UNE VERSION QUATRE FOIS PLUS GRANDE QUE CE GAMIN...